Dziecięca klasyka

# NA JAGODY

## Maria Konopnicka

Ilustracje:
Anna Olszańska (zdjęcia)
Witold Vargas (rysunki)

Tuż nad Bugiem, z lewej strony,
Stoi wielki bór zielony.
Noc go kryje skrzydłem kruczem,
Świt otwiera srebrnym kluczem,
A zachodu łuna złota
Zatrzaskuje jasne wrota.

Nikt wam tego nie opowie,
Moje panie i panowie,
Jakie tam ogromne drzewa,
Ile ptaszyn na nich śpiewa,

Jakie kwiatków cudne rody,
Jakie modre w strugach wody,
Jak dąb w szumach z wichrem gada,
Jakie bajki opowiada!

Mało komu tam się uda
Napatrzyć się na te cuda,
Mało kto w wieczornej ciszy
Tę borową baśń usłyszy,
Mało kogo bór przypuści
Do tajemnych swych czeluści,
Gdzie się kryją jego dziwy:
Świat jak z bajki – a prawdziwy!

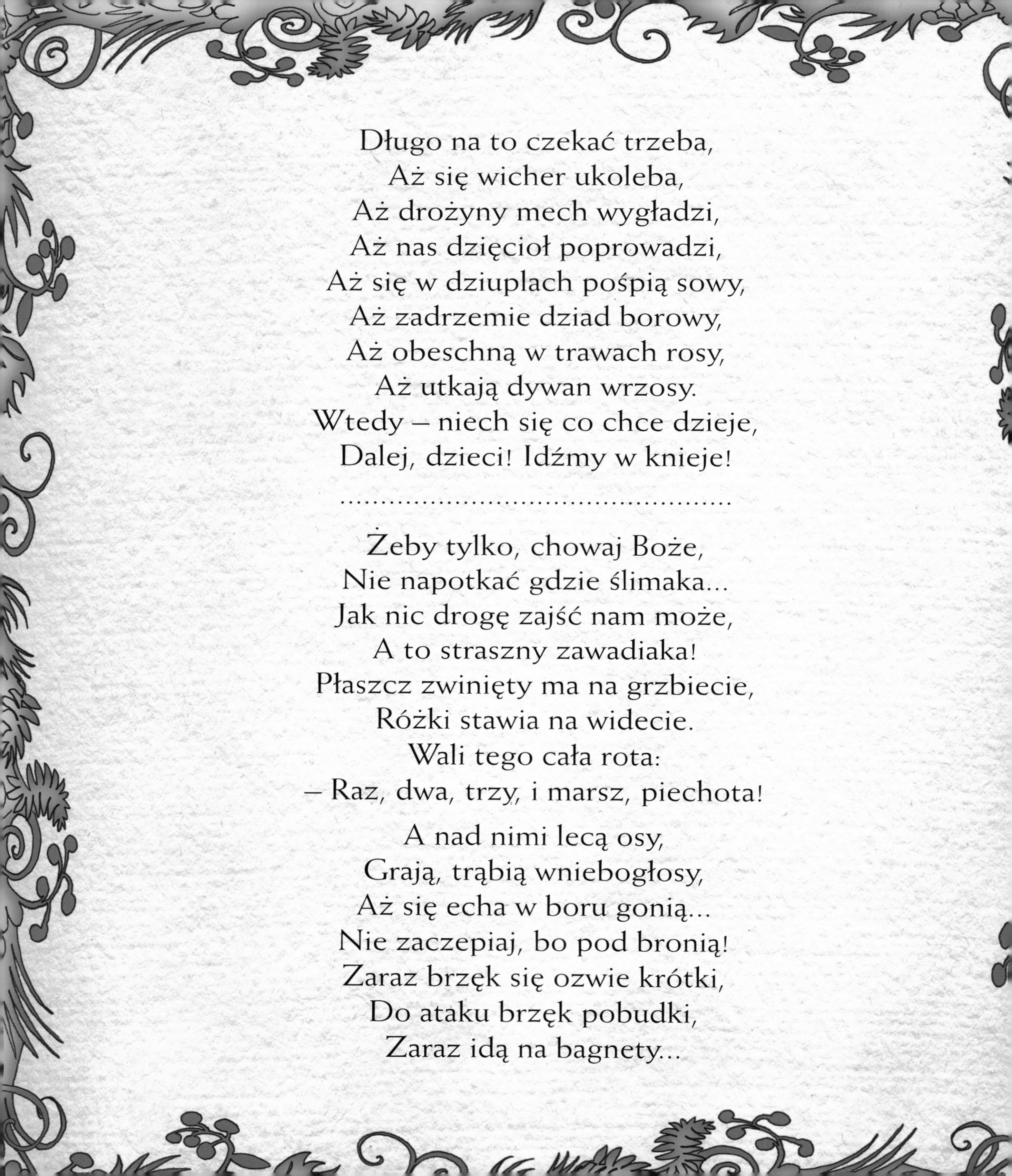

Długo na to czekać trzeba,
Aż się wicher ukoleba,
Aż drożyny mech wygładzi,
Aż nas dzięcioł poprowadzi,
Aż się w dziuplach pośpią sowy,
Aż zadrzemie dziad borowy,
Aż obeschną w trawach rosy,
Aż utkają dywan wrzosy.
Wtedy – niech się co chce dzieje,
Dalej, dzieci! Idźmy w knieje!

.................................................

Żeby tylko, chowaj Boże,
Nie napotkać gdzie ślimaka...
Jak nic drogę zajść nam może,
A to straszny zawadiaka!
Płaszcz zwinięty ma na grzbiecie,
Różki stawia na widecie.
Wali tego cała rota:
– Raz, dwa, trzy, i marsz, piechota!

A nad nimi lecą osy,
Grają, trąbią wniebogłosy,
Aż się echa w boru gonią...
Nie zaczepiaj, bo pod bronią!
Zaraz brzęk się ozwie krótki,
Do ataku brzęk pobudki,
Zaraz idą na bagnety...

Utnie która? – Gwałtu, rety!
A tam siedzi we fortecy
Pająk, co ma krzyż przez plecy
I krzyżakiem się nazywa:
Bestia sroga a złośliwa!

Myślisz – nic, a tu zasadzka:
Jak nie chwyci cię znienacka,
Jak nie zwiąże w łyka, w sznury,
To nie poznasz własnej skóry.

I choć nic cię nie zaboli,
Wziętyś, bratku, do niewoli!
Co krok strachy, co krok trwogi...
Z wojskiem ciągną marudery
Gąsienice w poprzek drogi;
A od głównej gdzieś kwatery
Adiutanty złotem świecą,
Na motylich skrzydłach lecą,
Aż im z czubów idzie para:
– Lewo w tył, i – naprzód, wiara!

..........................................

Zanim dojdziem, zanim staniem,
Pod borowych szumów graniem,
Nim na roścież, się otworzy
Świat borowy, nasz, a boży,

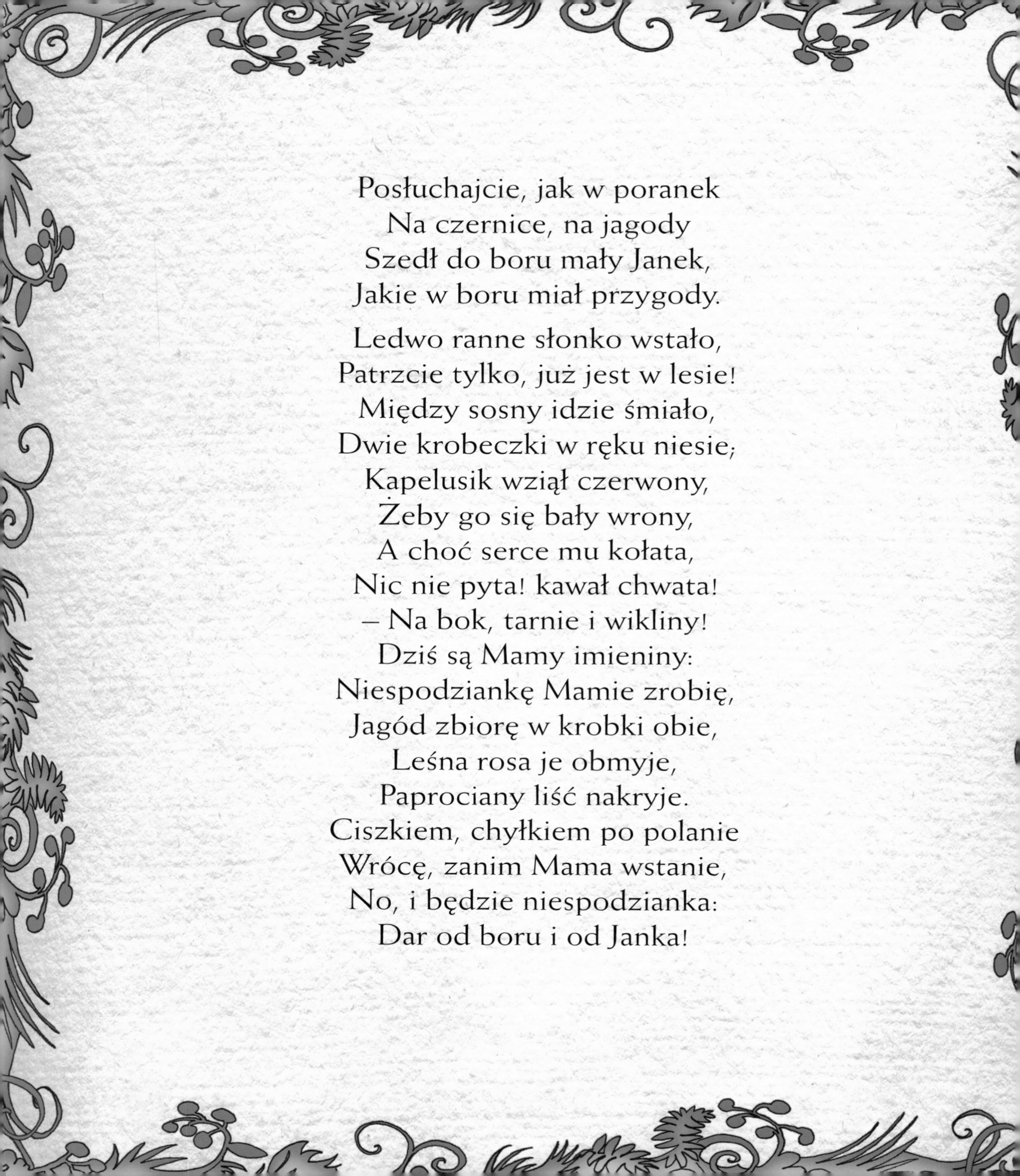

Posłuchajcie, jak w poranek
Na czernice, na jagody
Szedł do boru mały Janek,
Jakie w boru miał przygody.

Ledwo ranne słonko wstało,
Patrzcie tylko, już jest w lesie!
Między sosny idzie śmiało,
Dwie krobeczki w ręku niesie;
Kapelusik wziął czerwony,
Żeby go się bały wrony,
A choć serce mu kołata,
Nic nie pyta! kawał chwata!
– Na bok, tarnie i wikliny!
Dziś są Mamy imieniny:
Niespodziankę Mamie zrobię,
Jagód zbiorę w krobki obie,
Leśna rosa je obmyje,
Paprociany liść nakryje.
Ciszkiem, chyłkiem po polanie
Wrócę, zanim Mama wstanie,
No, i będzie niespodzianka:
Dar od boru i od Janka!

A czy jakie zamówienie?...
Szuka Janek, co ma siły,
A tu – żeby na nasienie!
Tak jagódki się pokryły.
Szuka w prawo, szuka w lewo,
Między brzozy, między sosny,
Wreszcie tam, gdzie ścięte drzewo,
Siadł zmęczony i żałosny.

Na płacz mu się zbiera prawie...
Wtem, gdzie szara ziemi grudka,
Tuż przed sobą ujrzy w trawie
Brodatego Krasnoludka.
Krasnoludek, wszakże wiecie,
To najmniejszy człeczek w świecie
I nie straszy ani trocha,
A nad wszystko dzieci kocha!
Krasnoludek różny bywa:
Jeden Polny – ode żniwa,
Drugi Pszczelny, rządzi ulem,
Ten był – Jagodowym królem.

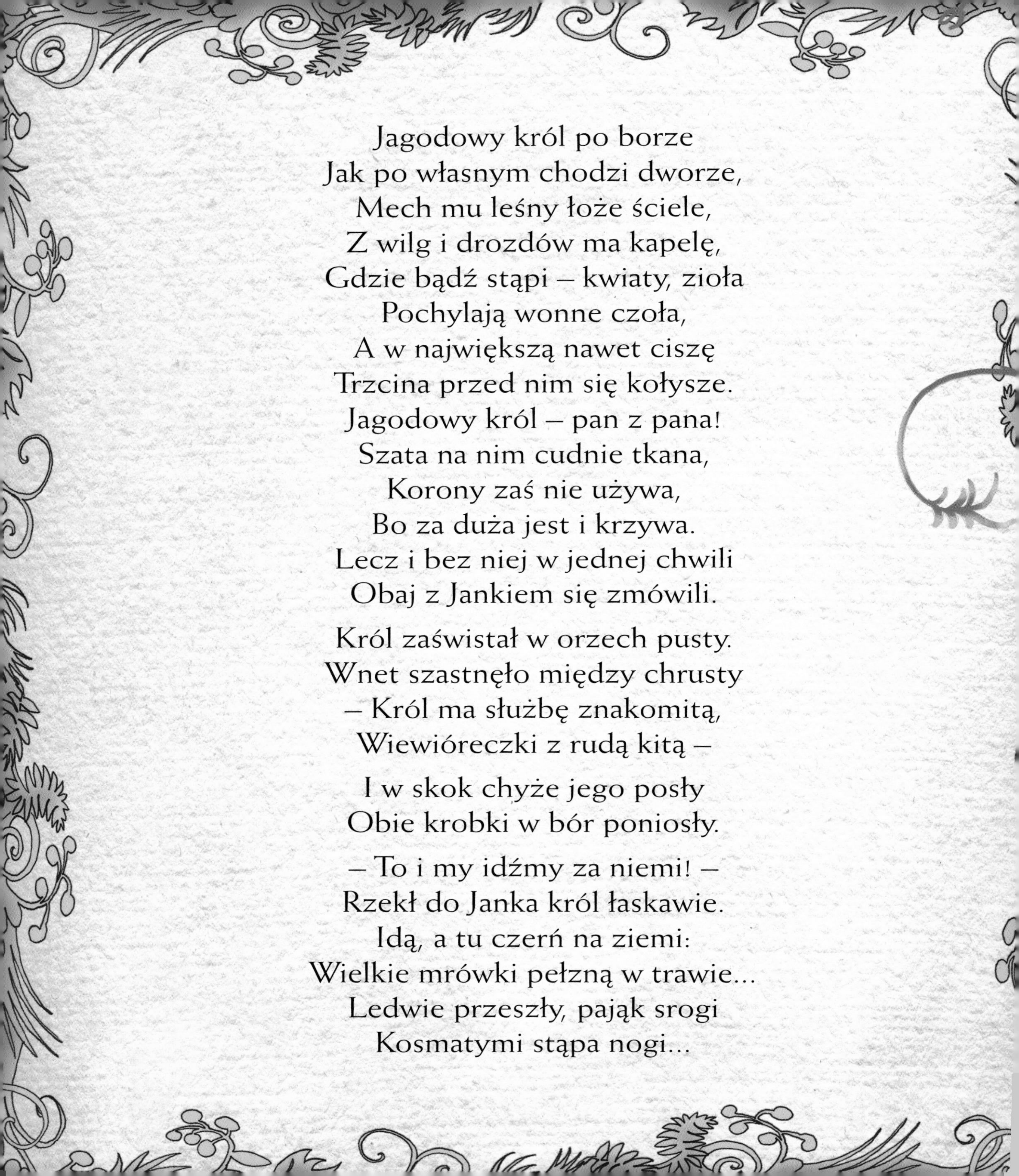

Jagodowy król po borze
Jak po własnym chodzi dworze,
Mech mu leśny łoże ściele,
Z wilg i drozdów ma kapelę,
Gdzie bądź stąpi – kwiaty, zioła
Pochylają wonne czoła,
A w największą nawet ciszę
Trzcina przed nim się kołysze.
Jagodowy król – pan z pana!
Szata na nim cudnie tkana,
Korony zaś nie używa,
Bo za duża jest i krzywa.
Lecz i bez niej w jednej chwili
Obaj z Jankiem się zmówili.

Król zaświstał w orzech pusty.
Wnet szastnęło między chrusty
– Król ma służbę znakomitą,
Wiewióreczki z rudą kitą –

I w skok chyże jego posły
Obie krobki w bór poniosły.

– To i my idźmy za niemi! –
Rzekł do Janka król łaskawie.
Idą, a tu czerń na ziemi:
Wielkie mrówki pełzną w trawie...
Ledwie przeszły, pająk srogi
Kosmatymi stąpa nogi...

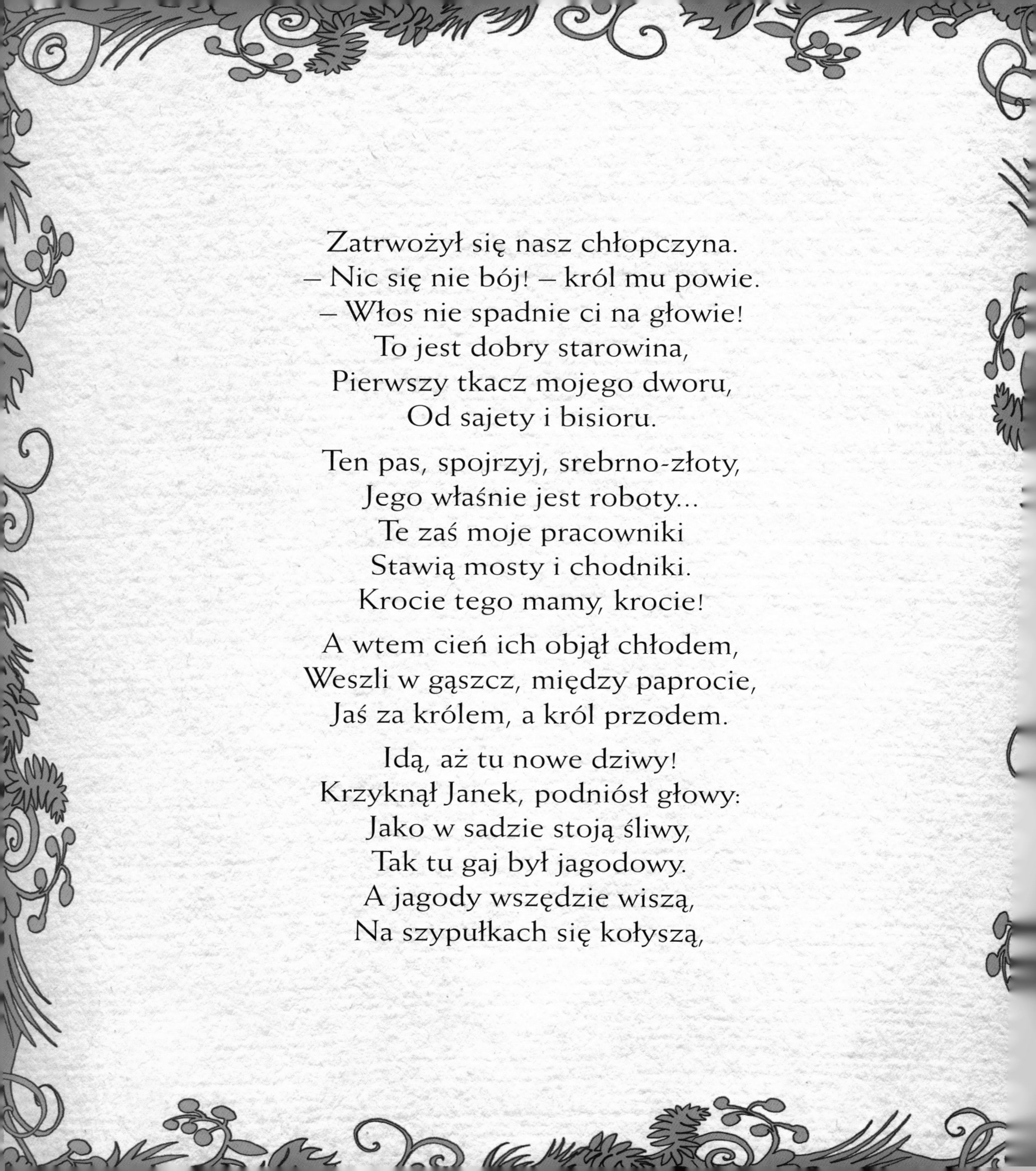

Zatrwożył się nasz chłopczyna.
– Nic się nie bój! – król mu powie.
– Włos nie spadnie ci na głowie!
To jest dobry starowina,
Pierwszy tkacz mojego dworu,
Od sajety i bisioru.

Ten pas, spojrzyj, srebrno-złoty,
Jego właśnie jest roboty...
Te zaś moje pracowniki
Stawią mosty i chodniki.
Krocie tego mamy, krocie!

A wtem cień ich objął chłodem,
Weszli w gąszcz, między paprocie,
Jaś za królem, a król przodem.

Idą, aż tu nowe dziwy!
Krzyknął Janek, podniósł głowy:
Jako w sadzie stoją śliwy,
Tak tu gaj był jagodowy.
A jagody wszędzie wiszą,
Na szypułkach się kołyszą,

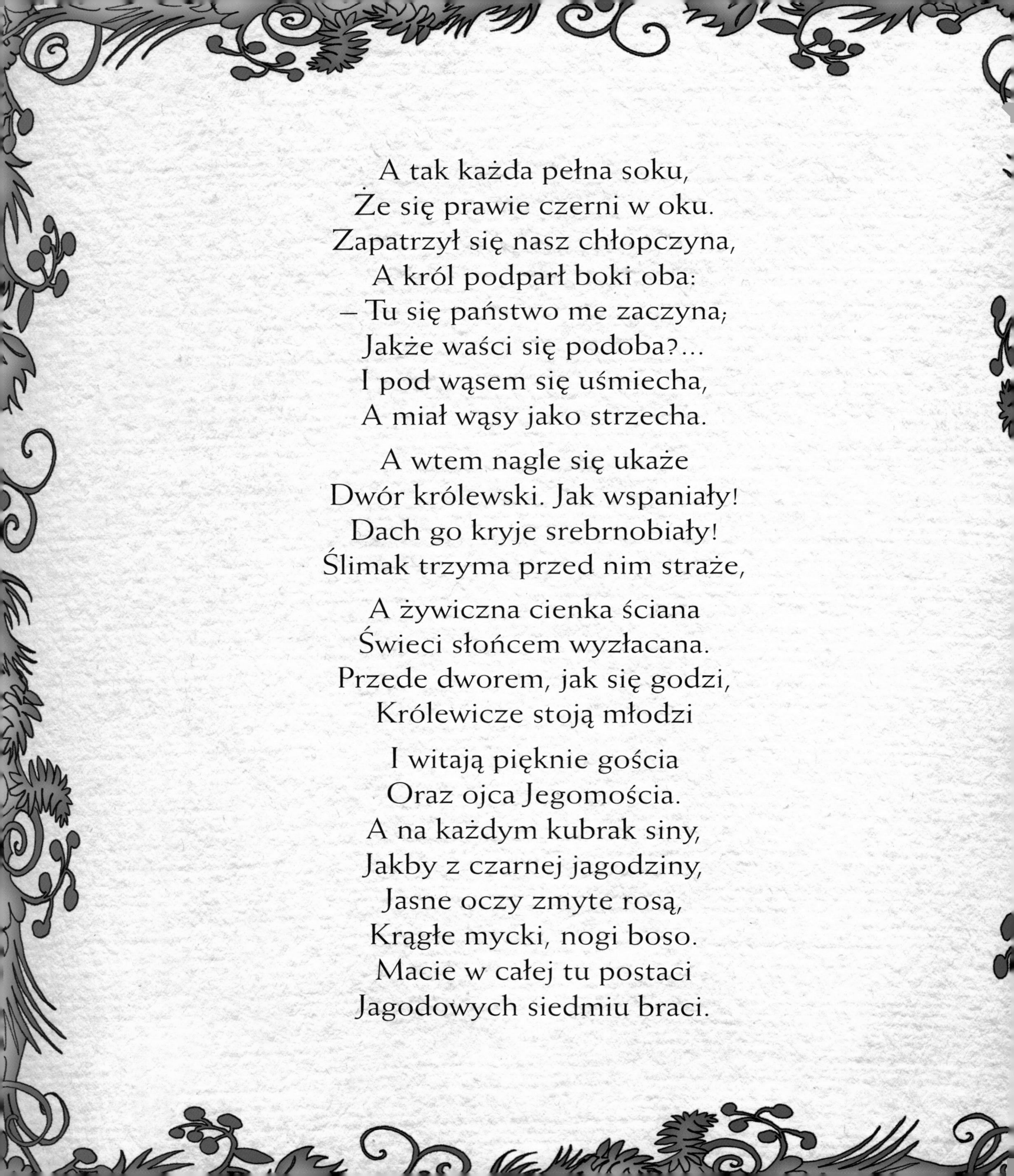

A tak każda pełna soku,
Że się prawie czerni w oku.
Zapatrzył się nasz chłopczyna,
A król podparł boki oba:
– Tu się państwo me zaczyna;
Jakże waści się podoba?...
I pod wąsem się uśmiecha,
A miał wąsy jako strzecha.

A wtem nagle się ukaże
Dwór królewski. Jak wspaniały!
Dach go kryje srebrnobiały!
Ślimak trzyma przed nim straże,

A żywiczna cienka ściana
Świeci słońcem wyzłacana.
Przede dworem, jak się godzi,
Królewicze stoją młodzi

I witają pięknie gościa
Oraz ojca Jegomościa.
A na każdym kubrak siny,
Jakby z czarnej jagodziny,
Jasne oczy zmyte rosą,
Krągłe mycki, nogi boso.
Macie w całej tu postaci
Jagodowych siedmiu braci.

Król nie wyrzekł ani słowa,
Tylko w róg zatrąbił złoty
I wnet dziatwa Jagodowa
Porwała się do roboty.
Co tam krzyku! Co tam śmiechu!
Co zabawy i pośpiechu!

Na krzewiny, na łodygi
Pną się, lezą na wyścigi,
Na wyścigi, na wyprzody
Najpiękniejsze rwą jagody.
I tak prawie w jednej chwili
Całą krobkę napełnili,
Którą wiewióreczki-posły
W skok po czubach drzew przyniosły.

– Popłyniemy teraz dalej,
Gdzie borówek jest kraina! –
Królewicze rzekną mali. –
W imię Ojca, Ducha, Syna,
Chlust na wodę! Szust po fali!
Tęga łódka – drzewna kora,
Setny żagiel – liść z jawora...
Nie potrzeba nam i wiosła,

Sama struga będzie niosła,
Nie potrzeba i sternika,
Powiedzie nas kaczka dzika!
Szumią trzciny, tataraki,
Modra ważka cicho leci...

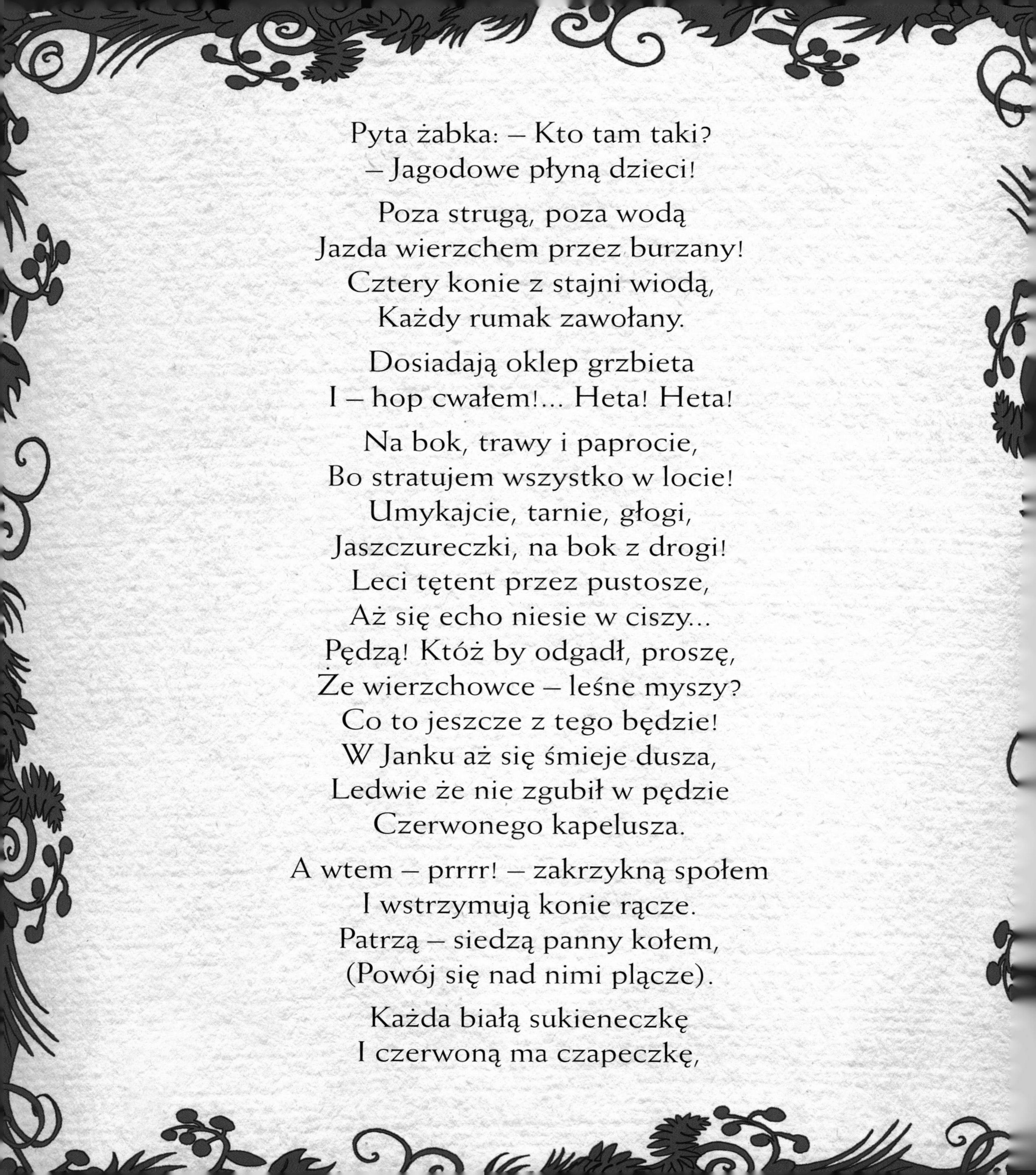

Pyta żabka: – Kto tam taki?
– Jagodowe płyną dzieci!

Poza strugą, poza wodą
Jazda wierzchem przez burzany!
Cztery konie z stajni wiodą,
Każdy rumak zawołany.

Dosiadają oklep grzbieta
I – hop cwałem!... Heta! Heta!

Na bok, trawy i paprocie,
Bo stratujem wszystko w locie!
Umykajcie, tarnie, głogi,
Jaszczureczki, na bok z drogi!
Leci tętent przez pustosze,
Aż się echo niesie w ciszy...
Pędzą! Któż by odgadł, proszę,
Że wierzchowce – leśne myszy?
Co to jeszcze z tego będzie!
W Janku aż się śmieje dusza,
Ledwie że nie zgubił w pędzie
Czerwonego kapelusza.

A wtem – prrrr! – zakrzykną społem
I wstrzymują konie rącze.
Patrzą – siedzą panny kołem,
(Powój się nad nimi plącze).

Każda białą sukieneczkę
I czerwoną ma czapeczkę,

Każda warkoczyki złote,
Każda w ręku ma robotę
I to samo pilnie czyni,
Co i pani Ochmistrzyni.
Szastną chłopcy ukłon żwawo,
Oczy w lewo, nosy w prawo,
Jak przystoi dla honoru
Młodzi wychowanej w boru.
A najstarszy śmiało powie:
– Prezentuję was, panowie:
To jest gość nasz, mały Janek,
To – pięć panien Borówczanek.

I od słowa wnet do słowa
Potoczyła się rozmowa:
Jako panny są sierotki
Na opiece swojej ciotki,
Imci pani Borówczyny;
Jakie w boru są nowiny,
Jak się czyżyk czubi z żoną,
Jak jastrzębia powieszono,

Co wybierał drozdom dzieci,
Jakie dudek stroi psoty,
Jak tu miesiąc nocą świeci,
Jako pannom promień złoty
Powyzłacał nocą włosy,

Jak się myją w kroplach rosy,
Jak im brzózki suknie tkały,
Srebrnej kory dodawały,
Jak pończoszki te zielone
Na igliwiu są robione,
Jak biedronki mód nie znają
I w kropeczki suknie mają,
Jako jednej pannie Basia,
Drugiej Julka, trzeciej Kasia,
Czwartej Zosia, piątej Hania,
Jak je słowik uczy grania...
Wtem kiwnęły wszystkie główki,
Piękny dyg – i frrr... w borówki.

Nie minęła jeszcze chwila
Na zegarku u motyla,
Nakręconym jak należy,
Podług złotej słońca wieży,
Kiedy panny już zebrały
Słodkich jagód koszyk cały.

Wnet dla pani Borówczyny
Niosą hamak z pajęczyny
I związawszy u lebiody
Nuż kołysać się w zawody!
Jak zabawa, to zabawa!
Choć kto spadnie, miękka trawa.

Jagodowi królewicze
Poszli z piasku kręcić bicze,
Hania gospodarzy z ciotką,
Pcha co siły hamak Basia,

A zaś Julka, Zosia, Kasia
Przyśpiewują piosnkę słodką.
Wtem ich ciotki głos doleci:
– Panny! Panny!... Dzieci! Dzieci!...
Pójdźcie podjeść, czym bór darzy,
Hania dzisiaj gospodarzy!
Biegną; każdy się sadowi,
Idzie Hania z ciemną rzęsą.
Królewicze Jagodowi
Jedzą, aż się uszy trzęsą...

Imci pani Borówczyna
Niesie półmich wprost z komina,
Przy niej służba nieustanna:
To ta panna; to ta panna...
Śmiech i wrzawa! Lecą głosy:
„A sio, osy! A sio, bąki!"
A już trawy pełne rosy,
Już liliowe dzwonią dzwonki...

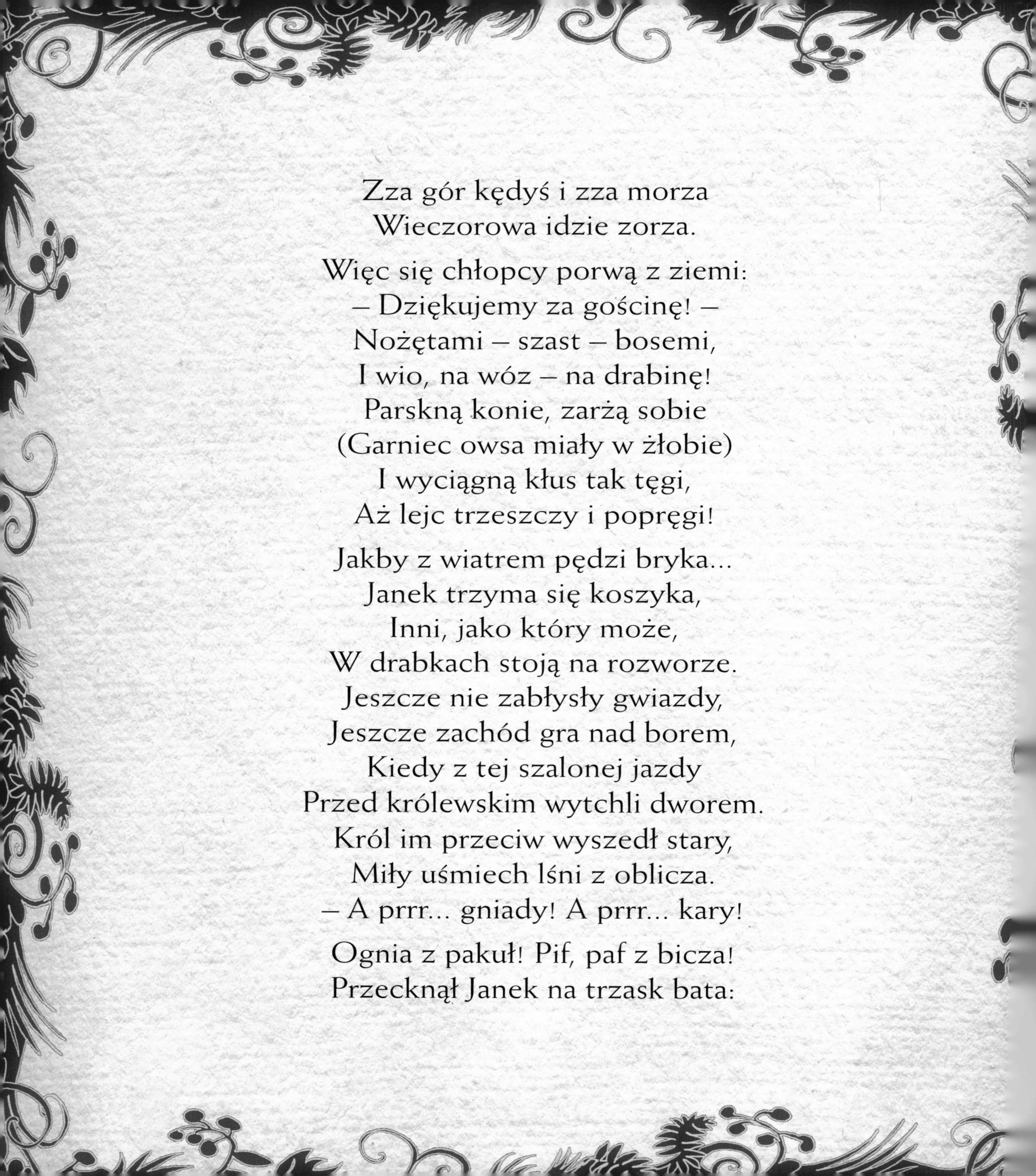

Zza gór kędyś i zza morza
Wieczorowa idzie zorza.

Więc się chłopcy porwą z ziemi:
– Dziękujemy za gościnę! –
Nożętami – szast – bosemi,
I wio, na wóz – na drabinę!
Parskną konie, zarżą sobie
(Garniec owsa miały w żłobie)
I wyciągną kłus tak tęgi,
Aż lejc trzeszczy i popręgi!

Jakby z wiatrem pędzi bryka...
Janek trzyma się koszyka,
Inni, jako który może,
W drabkach stoją na rozworze.
Jeszcze nie zabłysły gwiazdy,
Jeszcze zachód gra nad borem,
Kiedy z tej szalonej jazdy
Przed królewskim wytchli dworem.
Król im przeciw wyszedł stary,
Miły uśmiech lśni z oblicza.
– A prrr... gniady! A prrr... kary!

Ognia z pakuł! Pif, paf z bicza!
Przecknął Janek na trzask bata:

– Co to było! Jak to było?
Znikła króla srebrna chata...
Czyżby mu się tylko śniło?
Czyżby przespał tyle czasu
Na sosnowym pniu wśród lasu?
– Gdzież tam! Wszakże jakby żywą
Widzi króla brodę siwą,
Królewicze na bosaka,
Hanię, co ma z róż buziaka,
Cztery konie, wóz w drabiny,
Czepiec pani Borówczyny,

Słyszy śmiechy i okrzyki,
Słyszy nawet turkot bryki!
A tu wkoło nic – ni śladu...

Przypomina Janek sobie...
Dziwy, dziwy mu się roją,
Ani sposób dojść do ładu...
A wtem spojrzy – krobki obie
Pełne jagód przy nim stoją.

Wrócił, cicho stanął w progu,
Mama śpi? – To chwała Bogu!

Złotych jaskrów narwał w dzbanek,
Kwieciem potrząsł obrus biały,
A tuż obok filiżanek
Dwie krobeczki jagód stały.
Zaś napisał na arkuszu:
„Mojej Mamie zdrowia życzę!"
Nad tym, pełen animuszu,
Wymalował królewicze,
A zaś niżej jak róż wianek
Dał pięć panien Borówczanek.
Jak się Mama ucieszyła,
Jak wyborna kawa była,
Jak jagody zaraz dano
Z miałkim cukrem i śmietaną,
Jak się wszyscy – starzy, mali,
Królewiczom dziwowali,
Jak dom cały kręcąc głową
Stał przed panien tych obrazem,
O tym chyba książkę nową
Napiszę wam innym razem!